桂图登字：20-2021-002

图书在版编目（CIP）数据

如果每天不睡觉 /（日）井上昌次郎著；（日）横山三七子绘；周龙梅译. — 南宁：接力出版社，2023.4
（大科学之友经典科普书）
ISBN 978-7-5448-8104-3

Ⅰ. ①如… Ⅱ. ①井…②横…③周… Ⅲ. ①儿童故事-图画故事-日本-现代 Ⅳ. ① I313.85

中国国家版本馆 CIP 数据核字（2023）第 042905 号

责任编辑：陈潇潇　　美术编辑：卢　强
责任校对：杨少坤　　责任监印：刘宝琪　　版权联络：闫安琪
社长：黄　俭　　总编辑：白　冰
出版发行：接力出版社　　社址：广西南宁市园湖南路9号　　邮编：530022
电话：010-65546561（发行部）　　传真：010-65545210（发行部）
http://www.jielibj.com　　E-mail:jieli@jielibook.com
经销：新华书店　　印制：北京博海升彩色印刷有限公司
开本：787毫米×1092毫米　1/16　　印张：2.75　　字数：30千字
版次：2023年4月第1版　　印次：2023年4月第1次印刷
印数：00 001—10 000册　　定价：35.00元

大科学之友
经典科普书

如果每天不睡觉

RUGUO MEITIAN BU SHUIJIAO

[日]井上昌次郎　著　[日]横山三七子　绘
周龙梅　译

接力出版社
Publishing House

晚上，当爸爸妈妈对你说“快睡吧！”的时候，你有没有想过“一点儿都不困，为什么要睡觉”呢？

如果能一直不睡觉的话，就可以痛痛快快玩，痛痛快快看电视。

欢迎！
不想睡觉的你，下面来看看我古斯博士的“睡眠研究”吧！

开 关
水
吃饱了就跑2号
这个房间是为不用睡觉的人建造的健身房。这是我发明的机器！

100 多年前，俄国科学家玛丽·德·曼纳欣曾做过一项研究，看看动物们如果长期不睡觉会怎么样。她让 10 只小狗不停地奔跑，不让它们睡觉。结果，四五天之内，小狗们都死掉了。

在这之后，许多科学家也做过同样的研究。结果证明，不仅是小狗，大狗和老鼠长期不睡觉，也都很快就会死掉。

长时间不睡觉，动物们的体内发生了什么样的变化呢？

科学家们经过调查了解到，原来是脑发生了变化。脑内的神经元受了伤，所以动物才会死掉。脑，尤其是大脑的神经元，尤为重要。

8
7
哎哟哟哟……
又又又……
又……失败了。
想睡觉！不想睡觉！
大家的期望各不相同。
睡眠问题真的是好
复杂啊……

你知道纸杯电话吧？你的声音可以通过一条细细的绳子，传给远处的朋友。神经元就像纸杯电话一样，通过细长的神经纤维，把信号传递给另一个神经元。在大脑中，无数个神经元不断地快速释放和接收着信号，让我们能够判断看到的东西是什么，能够运动，能够感受高兴与悲伤的情绪。

当我们醒着的时候，大脑的神经元一直在工作，因此它们会感到疲劳，也有可能会损坏。不过，当我们睡着的时候，神经元会得到彻底的检查和修复，所以在美美睡完一觉之后，神经元就又可以精力充沛地工作了。

不着觉，我都瘦了。
喂，能让我好好睡一觉吗？
啊？不睡觉能变瘦？
能不睡觉吗？
如果一直不睡觉……
能持续多久呢？
不过，
我不会放弃的!!
我的研究，
一定会有人支持的!
不想睡觉的人，睡不着觉的人，都来参加实验吧!

不仅如此。我们在睡觉时，大脑的神经元之间通过伸长的神经纤维互相连接，形成新的神经网络。

神经网络越发达，我们的记忆、思考、感觉、运动能力就越好，而且越来越敏捷。也就是说，在睡觉的时候，我们会变得越来越聪明。

什么时候都可以……
可以尽情玩！
早上，可以轻轻松松地起床！

我需要深入研究——
睡觉！不睡觉！
如果能够随心所欲地决定要不要
睡觉，那该多好啊……
大家都会高兴的……

哇——呜！
来了这么多人啊！
我的研究一定会对大家有帮助的！
不过，在那之前……

当我们睡觉时，不仅是大脑，身体里到处都在进行着各种各样的工作。组成身体的细胞也在得到检查、修复和更新。骨头变得更长、更坚硬，肌肉变得更厚、更强壮，个子也在睡眠中长高。所以，“能睡的孩子长得快”这句俗话是事实。

假如不睡觉，会怎么样呢？首先，大脑的神经元会累得精疲力竭，还有可能会受伤，甚至死掉。不仅如此，身体的细胞也无法得到充分的检查和修复，骨骼和肌肉很难增强和增长。因此，会妨碍生长与发育。

实际上，无论你如何努力保持清醒，都不可能连续几天不睡觉。过不了多久，你就会感到困得不得了，一定会睡着的。

那是因为长时间不睡觉，大脑神经元就会发出“我累了，让我休息吧”的信号。这叫“睡意”。神经元为了防止受损或死掉，用睡意这种方式引起我们的注意。而且，控制睡眠的脑区域收到这一信号后，会向大脑传送“去睡觉吧”的指令。就这样，我们睡着了。

我稍微睡一
会儿。
为了想出更好
的办法，首先
要睡觉。
稍微睡一会
儿就行。
然后……
再开始工作吧。

我们的睡眠，因年龄不同会有很大的差别。婴儿无论白天还是夜里常常处在睡眠状态，一天有一半到三分之二的时间在睡眠中度过。但是，婴儿每次的睡眠时间很短，只有 40—60 分钟，一天要睡很多次。随着年龄的增长，每次的睡眠时间逐渐变长，在 5 岁到 10 岁时，渐渐稳定在 90 分钟左右。几个大约 90 分钟的睡眠时间段连起来，形成夜晚长长的睡眠。这样，白天就不怎么需要睡觉了。

儿童与大人相比，熟睡的时间要长得多。这是因为在儿童的成长发育过程中，睡眠发挥着重要的作用。

零……
12
1
2
3
4
5
6
7
8
9
10
11

睡眠的长短和睡眠的时间段，因人而异。

据说，法兰西第一帝国皇帝拿破仑一世、美国发明大王托马斯·爱迪生每天只睡 3—4 小时。相反，物理学家阿尔伯特·爱因斯坦每晚要睡 10 小时以上，连著名的相对论也是在梦中得到的启发。而创作出《蒙娜丽莎》的意大利天才画家列奥纳多·达·芬奇把一天分成 6 段，每 4 小时睡 15 分钟，也就是说，每天一共只睡 1 小时 30 分钟。甚至还有人能靠不到 1 小时的睡眠，就可以精力充沛地生活。不过，还没有完全不睡觉的人。人类不睡觉是无法生存的。

我叫奈因斯坦。有没有可以睡得更熟更香的枕头？还有床也是，有没有更舒服的？我想好好睡觉。哈哈！
我是拿破坦一世。我总是吃得太饱，睡不着觉……这个世界上好吃的东西太多了！……胃好胀。
我是小肥猪。我一吃饱了就犯困……我还想再多吃点！太可惜了。
夜里睡着了的时候，能不能不被老鼠咬！我太害怕了。
我是纳尔霍多·达·危奇。15分钟我也觉得浪费……我需要考虑更多的事情。能不能只睡10分钟呢？
我是夜山猫头郎。说实话，白天……有一位让我牵挂的
姑娘，可是我只能夜里才醒来……
我是托马斯·傲慢生。嗯……嗯……但是我会不断产生各种想法，所以，我无法安睡。嗯……好困啊……嗯……嗯……好困啊！好困啊！
好困啊！好困啊！

不同的动物，有各种不同的睡眠习惯。

睡觉最多的，可以算是树懒了。树懒通常倒挂在树枝上，用爪子钩住树枝，一动不动地待着。睡觉的时候也是这种姿势，一天睡 20 小时左右。

而有些动物看上去好像根本不睡觉。比如在海洋里一直游动的金枪鱼等鱼类、海豚等哺乳动物，还有像信天翁和海鸥一类在海上一直飞翔的海鸟。

但是，科学家们经过考察后，发现了一个有趣的事实：海豚和海鸥等动物在游动或飞翔的时候，有时一只眼睛是闭着的。原来在这时，它们是一边让左右脑轮流休息，一边游动或飞翔。也就是说，它们表面看上去完全没有睡觉，其实是有半边的脑在休息。

那可受不了！用这个“海豚海鸥睡眠机”，让大脑放松后，再使用“变成树懒机”的话，就可以熟睡20个小时……！
海豚海鸥睡眠机
计时表
摇摇晃晃
晃晃悠悠
嗡嗡
开
关
变成树懒机

一些动物栖息在视野开阔的草原上，如长颈鹿和斑马等，也很难看到它们在睡觉。这些植食动物需要吃大量的植物，所以进食要花很长时间。而且，在没有地方躲藏的草原上，为了避免受到狮子或猎豹的袭击，它们要随时防备着，不能一次睡很长时间。所以，这些动物具备了一项特技，它们可以迷迷糊糊一直醒着，也就是以半睡半醒的状态来获得睡眠。

对于动物们来说，睡眠意味着放松肌肉、降低注意力，而且要中断营养物质的摄入，是一种危险的、豁出性命的行为。尽管这样，它们还是千方百计要获得睡眠，也正说明为了能够生存下去，睡眠是极其重要的。

那可太可怜了！
要不要试试这个
“醒着·睡”？
一睡着，就会淹进
水里……
对！你现在
醒着呢！！
醒着·睡 NO.1

早在人类出现之前，地球上就是白天过后是黑夜，黑夜过后是白天，日复一日，夜复一夜。前天、昨天、今天、明天和后天，每天如此，动物和我们人类都生活在这种昼夜的循环中。

在这种循环中，我们人类一般是白天活动，夜晚睡觉。与此相反，像老鼠和蟑螂这些动物，主要是夜里活动，白天基本上都在睡觉。

为什么人类是白天活动，夜晚睡觉呢？为什么老鼠和蟑螂等动物，是夜里活动，白天睡觉呢？

的确，对于人类来说，娱乐、学习、吃饭、工作这些活动，还是在明亮的白天更方便，在黑暗的夜晚则更容易进入睡眠。而对于老鼠和蟑螂来说，明亮的白天容易被敌人发现，所以这时躲在暗处睡觉更安全。到了漆黑的夜晚，更便于到处乱窜寻找食物。

不过，即使不考虑这些，人类到了夜晚自然就会发困，到了早上自然就会醒来。为什么人类不用闹钟，也大概会在某个固定的时间醒来呢？

有人做了一次这样的实验：在一个没有钟表，没有收音机和电视，阳光也照不到的地下室里，也就是说，在一个完全没有时间线索的地方，让人生活一段时间。

结果你猜怎么样？即使不知道时间，人还是以某种固定的节奏睡觉醒来。通过同样的实验证明，其他动物也以某种固定的节奏睡觉醒来。

似乎在生物的体内，与生俱来就有一种像钟表一样的设定节律的东西，科学家们给它起了一个名字叫作“生物钟”。也就是说，栖居在地球上的生物，无论是人类还是动物，天生体内都有一个自己的钟表。

虽说给它起了一个“生物钟”这样的名字，但它究竟在哪里，又是如何运作的，并没有明确的结论。不过，人类的生物钟大概位于一个叫下丘脑的地方，它向整个身体发送“不久就是晚上了”和“马上要到早晨了”的信号。有了这些信号，我们才能按照“到了晚上会发困，到了早上自然醒”这一昼夜节律生活。

动物们也可以根据生物钟，自然地适应白天和夜晚的节奏生活。即使躲在昏暗的巢穴里，也可以大致判断出外面是白天还是黑夜。而且，动物们知道何时应该开始活动，何时应该进入睡眠。

大家的愿望各不相同。
想睡觉！不想睡觉！
为什么白天醒着？
为什么夜里睡觉？
不分昼夜地睡……
睡眠掌控器！
能行吗？可能吗？
我来造一个！
试试吧！

1
开始睡觉的时刻
醒
开
关
睡
催眠曲音箱
睡眠时间
设定好想睡的时间，想睡多久睡多久！
睡眠掌控器 型号1
2
一直睡不醒，上课时也睡过头了，还错过了午餐时间，没吃上食堂的配餐！！能不能想想办法帮帮我……实在受不了了！
4
困的时候，摇一摇这个↓，就可以想什么时候醒来就什么时候醒来了！
清醒的时间
白天的时间
开
强
弱
音量
关
进行曲音箱
醒来的时刻
晚上的时间
清醒掌控器 型号2
5
这回是睡不着！
虽然可以想看多久电视就看多久，想玩多久游戏就玩多久，可是我累了……实在受不了了！
我睡不着！！

从刚才的实验中，我发现了一件更有趣的事情。人类制造的钟表以 24 小时为一天，但人类的生物钟却与此相差了一个小时左右，大约为 25 小时，也就是说，“与生俱来的一天的钟表”大约以 25 小时为一天。实际上已经是早上 7 点了，可生物钟却认为是“刚刚 6 点”，难怪有人会睡懒觉呢。

动物的生物钟也会有一些偏差，有的一天晚 1—4 小时，有的又会快一些。

我来思考！

为什么会有偏差？其原因尚不清楚，但是生物按照季节的昼夜长短变化在生活，或许正是因为生物钟的偏差在发挥着作用吧。

不分白天

不过，如果生物钟一天晚一个小时的话，会不会一直这样偏差下去呢？比如说，实际上过了 25 天，而生物钟会不会大约只过了 24 天呢？

做好了！做好了！
睡眠清醒掌控器
魔术贴
适用于任何尺寸！
清醒时钟
设定想保持清醒的时间。再用短针设定醒来的时刻。
25小时时钟
自动显示生物钟的时间。
设定
时间
醒着呢
背面采用振动式新系统！
睡眠时钟
设定好想熟睡的时间。再用长针设定好开始入睡的时刻。
这样就可以自由自在地睡觉起床了！
※ 即使睡眠时间与清醒时间相重叠，也可以半睡半醒！

实际上，我们每天早上都在不知不觉地调整我们的生物钟。当你从床上起来，沐浴着早晨明亮的阳光，洗脸，吃早饭，生物钟也由此判断“现在是早上 7 点了”，将“与生俱来的钟表”与实际时间对准。所以，生物钟即使偏差一个小时，一天也可以按照 24 小时来生活。

在现代生活中，我们可以一直开着灯，房间可以一直像白天一样明亮。夜晚的街道霓虹灯闪耀，有许多 24 小时营业的商店。我们可以坐着飞机，当天从一个正处于白天的国家飞到另一个已进入黑夜的国家。

就这样，我们可以不被昼夜的自然节律所束缚，非常方便。

不过，这样生活很容易变得不规律，生物钟很难调整过来。由此导致生物钟与实际时间一直错位，夜晚不能熟睡，白天也在发呆的人越来越多。虽然不受昼夜的自然节律束缚了，但自身体内的生物钟却还在自动运行，因此便无法维持一天 24 小时的正常生活了。

自古以来，所有生物都是在白天与黑夜的自然节律中生息。为了能让身体的功能与这一自然节律相协调，生物具备了生物钟这一体内的节律。而且脑得到发育的生物，像人类一样为了养护脑而开始了睡眠。

未来我们的生活无论如何变化，为了生存，养护脑的睡眠都是十分重要的事情，这一点是不会改变的。因此，夜晚要保证充足的睡眠，而到了早晨，就应该沐浴着灿烂的阳光，吃早餐，按照生物钟的时间开始一天的生活。

早晨，
总是给我精神
和力量！
太阳，太阳！
精神！力量！

不过，我还是
先睡觉吧！
累了就应该睡觉！
晚安……

井上昌次郎

日本脑科学家，理学博士。曾任东京医科齿科大学名誉教授，世界睡眠学会理事。著有《睡眠的不可思议》《脑与睡眠》《人为什么要睡觉》等。

横山三七子

1967 年生干大阪，在东京长大。1995 年起每年举办个人画展《故事展览会》，现在暂时停办。作品有《哗啦哗啦啪啪》。本书是她首次为“大科学之友经典科普书”系列绘制插画。